収録作品メモ

『俺物語!!』①巻 ■別冊マーガレット・平成23年11月増刊号 別冊マーガレットsisterと
平成24年1月号に掲載

＊マーガレット コミックス

俺物語!!①

2012年3月28日 第1刷発行

作画 アルコ
原作 河原和音

編集 株式会社 創美社
〒101-0051 東京都千代田区神田神保町2－2
共同ビル
電話 03(3288)9823

発行人 鈴木晴彦

発行所 株式会社 集英社
〒101-8050 東京都千代田区一ツ橋2－5－10
電話 編集部 03(3230)6257
販売部 03(3230)6191
読者係 03(3230)6076
Printed in Japan
印刷所 株式会社 廣済堂

ISBN978-4-08-846756-6 C9979

オレは
頼れる男に
なるからな

明日も明後日も

ぎゃああああ

笑って
眠ろう!!

オレも覚悟を決めたんだ
おまえも男なら覚悟を決めろ!!
いや絶対おかしいからそれ……
大和
心配するな

おまえなら口がかたいだろう!!
こんなこと頼めるのはおまえしかいないんだ!!
やめろ気持ち悪い
大丈夫だラップを持ってきた
やめろ生々しい
これを間にはさめば問題ない
大問題だ
がしっ

今日大和と手をつないだんだがちょっと失敗してしまった
手をつなぐのに失敗ってどんなんだよ
細かいことはいい
キスする時歯とかぶつかったら大和がかわいそうだからな!!
練習させてくれ
……………
………枕とかですれば?
もうやった!
距離感がつかめないんだ人間でないと!!
他でやってくれ
他でやったら大和に失礼だろうが!!

ドオオオ
おまえに頼みがある!
……何?
す…
手みやげ
キスさせてくれ
ゴオオオオオオオ
……は?

よかった

たけおくん

今日星キレー
流れ星みた人生初
たけおくんのこと
ちょうど思い出してて
ずっと一緒に
いれますよーにって
もう星いっちゃってたけど
セーフかな!?!?

Re:
セーフだ

心配するな
大和

砂川!
入るぞ

……えっとたぶん…
ニヤニヤしちゃう
そうか
よかった

オレはうれしい
……よかった〜〜〜……
本当のこと言って嫌われちゃったらどうしようって
安心したら涙が〜〜〜
す…
ふきふき
今日は笑って眠れそうか

たけおくん
うちのこと いい子って
言ってくれたのに
うそついてて
ごめんね……
そうか
知らなかった
オレに
会うために
一生懸命
してくれたのだな
大和
ありがとう

初めて会った次の日
うちたけおくんのお家行ったでしょ駅員さんに聞いたって言ったけど
嘘なの
ほんとは制服でたけおくんが集英高ってわかったから
学校行って自分で聞いてまわったんだ
それでたけおくんのお部屋にケータイ忘れたのも
あれもわざとなんだ…
そうだったのか!?
接点つくんなきゃ会えないと思って
どうしてもまた会いたかったから…

すごいドキドキしちゃう～
手汗すごい～～～
オレもだ
大和
手をつなぎたい時オレは
遠慮しなくていいということなんだな？
うん
大和も遠慮するな！
うん……
…あのね…
たけおくん……

サワ
サワ
サワ
サワ
……
サワ
サワ
……
あはっ

こ……
このまま
歩きたいかなあ…
よし!!
じりっ…
?
!?
………
近所の公園でも行くか
うん…

がっし!
他にしてほしいことはないか!?

…たけおくんが
思うような
純情な
女の子じゃなくて
ごめん……

うち
たけおくんと
手(て)つなぎたい！
…あと
ときどき
くっついたり
とかも……
したいの……

全部オレにぶつけてくれ！
何があってもオレは倒れたりしない！
そして笑ってろ！
オレは大和の笑った顔が好きだ！
…たけおくん……

泣いてると砂川が言ってたんだが
もう泣いてないのか？
………
たけおくん…走ってきてくれたんだあ…
うん
大和
何か悩んでただろう
言え！
思ってること全部

大和!!
たけおくん!

持久力もある
足が速くてよかった
長く走れてよかった

オレは
足が速い
柔道部なのに
中学校の校内マラソンで
陸上・サッカー・バスケを
抑えて3年連続1位だった

私も猛男に
あんなふうに必死で走ってきてもらえたのかな……
……もらえただろうね
超うらやまし〜〜〜
私も男に生まれればよかった〜〜〜
あんたは いいよね
友達だもんね
ずっと〜〜〜
めんどくさい姉だな

しゅキッ
ばっ
ざっ
ミャア～…
…私はさ
自分の気持ちを隠すのに一生懸命だっただけだね
猛男に一生懸命じゃなかった
もし告白してたら

………何してんの猛男……
ネコが木からおりられなくなってて…
…大和さん猛男の家行ったけど
泣いてたけど

年なんて
そんなこと
気にする男
じゃないって
さっき自分で
言ったくせに
は－……
帰ろ
帰ろ
……

……私
あんなに
キレイなの……？
うん
あんなに
キレイ
なの……？
……
？
それだけ？
それだけ
だよ！
人からみれば
どーでもいい
ことが特別
なんだよ！
恋なんて
そんな
もんだ！
なんで告白
しなかったの？
ありえない
じゃん！ だって
小3と小6だよ!?
私高1の時
あいつ
中1だよ!?
絶対彼女できると
思ってなかったし!!
できるでしょ
あいつ
かっこいいし
知ってるよ！
だからせめて
大学になる
まではと思って
たのに〜〜〜

女として自信なかったんだけど6年生の時3年生だった猛男がさー…
猛男練習帰り?
うん
半分やる
のどかわいてるだろ。
………
じ～
しゃくしゃくしゃく
何?
姉さんアレに似てるな
「のび像」な
ちがう
大特
25
BOX
そこの花屋さんで見た
名前わからないけど
あの花に似てる
え…
肉の まるよし

………猛男の彼女いい子じゃん
幸せなんだね
よかったね猛男
………なんで猛男のこと好きになったの？
……小学校の校庭にさあ…「のびゆく子供の像」ってあったじゃん
ああ あのきもちわるいやつ
私背高くってやせてたからさあ
あれに似てるって男子が言い始めて
あだ名「のび像」になって

早く行きな！
大丈夫だから！
くるっ
ありがとう
ございます
お姉さん
やさしいですね！
ペこー！
ダッ
コケッ
スクッ
だー
……

そんなことでひくような男じゃないよ！
何があっても全力で受け取めようとしてくれる男だよ！
あいつニブくておめでたいから
すぐそうやってカンチガイしちゃうけど
猛男言ってたよ
「大和が言ってくれないとオレは何もわからない」けど
「言ってくれさえすれば力になる」って
…私…
今からたけおくんの家行ってきます…！

私……たけおくんといると邪な気持ちになるんです……
でもそんなこと言えないっ
てゆーか絶対ひくし…
………
言ったら嫌われちゃう…
何言ってんの？
あのね──
猛男はそんなヤワな男じゃないから！

なのに たけおくん大人になるまで指1本触れないって言うんです……
…たけおくん私のことすごい純粋って思ってるみたいなんですけどちがうんです
ほんとはうちすごく……
たけおくんにさわったり手つないだりしたいんです

……!?
そうだね
あいつ早寝早起きだしね
キメ細かいよね
…それにあのまゆげとかもみあげとかもたまらなくて……
そうだねワイルドだよねそそるよね
それにあの広い肩とか厚い胸板とか…
いいラインしてるよね！肉感的だよね！
あと唇とかすごいセクシーで…！
ハリウッド系だよね！日本人になかなかいないタイプ！
手とかも大きくてすごいドキドキしちゃうんですよっ……
はいはい!!性的な手してる!!

…そうですよね…
…たけおくんはいい人ですもんね…
…でもうちは…本当は…
たけおくんが思うようないい子じゃない…!
やっぱり!
どういうこと?
………
……たけおくんて…
美肌なんですよ……

え…
猛男 気づいてるよ
大和さんが 何か隠してるって
でもそれが 何か わからなくて 悩んでんの 一生懸命
……たけおくんが…
言って！
猛男に 言いづらいん でしょ
猛男に 言わないから！
絶対 言う…
私は猛男には 幸せになって ほしいの！
幸せになって もらわないと 困るの！

大和さん
あ！こんにちは…
？あれ？たけおくんは？
猛男はいないよ
ねえ大和さん
猛男に何か隠してるでしょ？
？

大和

悩むな

1日の終わりに
大和にも笑っていてほしいのだ

♡♡ おやすみ ♡♡
たけおくん
月とか 星とか
見てるかな～
うちまだ流れ星
見たことないんだけど
流星群とか
一緒に見たいね
Re：
そうだな
おやすみ
大和
ガラ
ムリを
してないか？
大和
オレは
大和と
つきあってから
1日の終わりに
いい日だったと
毎日
思っている

大和が悩んでいることのほうが問題なんだ
…私が聞いてあげるよ
女同士のほうが話しやすいかもしれないし
じっ
Seventeen
――……
いいのか姉さん
だからもう読むな!!
ちょっとヘンタイみたいだから!!
ありがとうやさしいな姉さんは!!
せぶんてぃーん
オレも男があんなの読むのはアヤシイとうすうす思ってたんだ
でも読んだんだ
なんとかしたかったからな!!
なんかわかった?
いや全くわからなかった

言ってくれさえすれば力になるのに…
……
ふた股とか浮気とか他に好きな人ができたとか……
…………言えない
ことかもよ？
彼氏に言えないことかも
たとえそうだとしても問題ない！

セブン ティーン
猛男！
…オレは たぶん
ニブイ
Seventeen
何してんの
ああ 姉さん 女心の 研究だ
は？
実際ずっと 大和は砂川の ことを好きだと 思っていたからな
察する ことは できない
大和が言って くれないと オレは何も わからない

なんでもない！
おやすみ！
なんでもないのか……
そうか……
そうか!?
大和（やまと）
どうした
コンビニ
おにぎり全品100円

大和
空を見ろ
今日も星がキレイだぞ
気持ちがいいな
ほんとだあ……
……………
……
たけおくん
ほんとは……
あのね
うちね
ん？
――……
オレは
ニブイと思う

……
ね？幸せそうでしょ
あの子ウラあるよ
……考えすぎじゃない？
あんた気がつかなかった？
あの子猛男に何か隠してるよ
……
猛男に正直に何もかも見せてはいない…
ふた股か浮気か…
猛男にうしろめたいことがあるね………

じゃあさー
猛男は大和さんのどんなところが好きなの？
もちろん全てだ
そんなっお姉さんてばイキナリ!!
あえて言えば
ピュアなところかな
…………
…………

大和
何も問題ない！
オレが食いたいんだ全部オレによこせ！
きゅんっ
オレは甘いのも塩っ気がキツイのも大好物だ！本当だぞ
シャクシャク
むしろ嫌いなものあんの？
ないな！

謙遜するな！大和はいい子だ！
……
……
いただきまーす…
ぱく
しょっぱ!!
!?
ハッ
なるほど塩味か
え
ふむ
ポリポリ
新しいな
やしょっぱいってコレ
ゲホゲホホ
え
……あ！
うち塩と砂糖まちがえた！
ごめんなさいっっ
ごめんたけおくん食べないで〜〜
やだー／もうありえないし〜〜
ほんっとごめん〜〜
ばっ

うまく言えない
でも好き
そういうものかもしれない
ふーん…
あ 私 クッキー焼いてきたんですよ
お姉さんも食べませんか？よかったら
えっ これ すごくない!?
これ クッキー!?
最近アイシングにこってて
ラングドシャタイプにしてみました
大和はお菓子が得意なんだ
ケーキもうまいぞ
いい子じゃん
いい子だ！
ふーん 女の子らしいんだねー
そうだ 大和は女の子らしいんだ
そんなことないです全然
いい子なんかじゃないですっっ

実はやさしい女性だ
ねえ
大和さんは猛男のどこが好きなの？
え
……うまく言えないです
でも……好きです!!
え
えーとえーと
チラ チラ

!
あ
こんちはっス!
あはは
どーもー
久しぶりー
彼女
できたん
だってねー
GPS?
?
?
?
砂川の
姉さんだ
こんにちは
初めまして
大和といいます
砂川の姉さんは
美人なので
子供の頃 緊張した
宿題?
みてあげるよ
猛男っ
ズボン
うしろ前
だよ!!
初めまして
キレーな
人だねっ
そうだな
そして
砂川と同じで
猛男!
はなたれ
てるよ!

そして水曜日
………
いいかげんオレ連れてくのやめたら？
大和はかなり純情みたいなんだよな
たぶん2人だと緊張するんだ
おまえがいれば安心だろう
？ふーん
あ
たけおくんこっちだよ——
猛男！
ザッ

実はうちね、
今までたけおくんに言えなかったんだけど
ほんとは…
…………
…………
……っ
ピッ
ピッ
ピッ
削除しますか？
Yes
削除しました
カカカカ
たけおくん
今日たのしかった
次いつ会える⁇
クッキーやいてくね
送信!!
Re:
水曜日ヒマだ
オレも楽しかった
……は〜〜〜……
はぁ…
カシャ
カシャ

幸せそうだよ
オレ ガチで両想いって初めて見た
……会わせなさいよその女！
女にしかわかんない女の本性があんのよ！
あ そうなの？
私以外に猛男を好きになる女がいるなんてありえない！絶対おかしい！
会わせてよ猛男の彼女に！
やだよなんかモメそう
なんでよ会わせてよ
どーせ猛男だっさいままなんでしょ!?
変な髪型のままなんでしょ!?
……ほんとに好きなの？
本文
あのね、たけおくん
たけおくんに話したいことあって…
実は　うちね、

うっ
うっ
うっ
うっ
うっ
うっ
…マジで？
知らなかった
いつから？
どんな女？
……もしかして
姉さん
猛男のこと
好きだった？
うっ
うっ
だまされてるんじゃ
ないの⁉ 猛男
おめでたいから‼
猛男に彼女なんか
できるわけないじゃん！
あんな
むさくるしい
巨大ゴリラに
彼女なんか‼
……好きなの？
嫌いなの？ どっち？
利用されて
るんじゃ
ないの？
ボディーガード用に
されてるとかじゃ
ないの⁉

Pi
Pi
アハハ
うっそー
またまたー
本当だってけっこうかわいい…
……………
…やだあっ……
うそでしょおっ…

バタン
あ――
誠おかえりー
姉さん来てたんだ
うん夕方の新幹線でねー
ハイこれお土産ー
猛男は？
一緒じゃないの？
たくさんあるから一緒に食べれば？
呼べば？
あいつは彼女送ってった
え？
彼女できたんだよね猛男
え？
猛男に彼女？
え？

大切にしよう
オレの全身全霊をかけて
……あありがとう…
おやすみ
砂川
大和を大切にしよう
月もキレイだ…
今日はいい日だった
701
砂川
ガチャ

……
砂川
はっ
安心しろ大和！
え
ちゃんと大人になるまでは大和に指１本触れないから！
安心しろ！

たけおくん公園通って行かない？
遠回りじゃないか？
星がすごくキレイに見えるんだあ
ほんとうだ！
キレイだ！
暗いからよく見えるね
……このへん誰もいないね
そうだな静かだ！
……ふ2人きりだね……
………

ああ
すまん
さわって悪かった
ううん！
ありがと！
さっきも赤くなってたな
純情なんだな！
むかしアマレス女王だったうちの母ちゃんとはちがう…
じゃ
オレ帰るわ
大和送ってくから
はーい
ジャージ洗って返してね
さりげなく2人きりにしてくれたな
気の利く男だ！

動くな!
もう とれた!
大丈夫だ
虫だ

誕生日でもないのにケーキを焼いてくれたり
これね今度 友達に焼いてくれって頼まれててー
おいしいかどうか…
これはいちごまるごと入ってて！
こっちは生地にバナナ入れてみた!!
するものなのだな
うまいぞ
モグモグ
たけおくんなんでもおいしいって言うしー！
うまいよな砂川
うん
なんでもないのに
ぱちっ
うれしそうに笑ったり
するものなのだな

ぱっ
おう
わるいな
ぱっ
すまん
ううん
ううん
彼女というのは
用もないのにメールや電話をしてきたり
今日はねロールケーキ焼いてきた

好きだ
大和を待たせたくなかった
タオルあるけどこんなんじゃたりないね
帰って着替えてきてもよかったのに
きゅんっ
電話かメールすればよかったんじゃないの？
！
砂川！おまえあたまいいな！
前から思ってたけどかしこいよね！
無視。
ジャージあるけど着る？

あれっ どうしたの!? 濡れてるけど
雨降ってないよね!?
おぼれてる子供助けてきたんだよね
え!?… 砂川くんはあんまり濡れてないね
オレは受け渡ししただけだから
こいつは飛びこんだから
……飛びこんだんだ……
……そっか
飛びこんだんだあ……

けれど
この度
オレは初めて
好きになった女子に
好かれた
たけおくん！
人生初の
彼女だ
大和！
遅くなった！

頼む！
ママぁ〜 こわかったよォ〜 うぁあああ
ありがとう ございます
ありがとう ございます
やオレは 何もしてない んで
ほんとに なんてお礼を 言ったら いいか
オレじゃなくて 助けたの あいつ なんで
いつものことだ！
砂川！ 急ぐぞ
待ち合わせの 時間を 過ぎてる！
大丈夫か おまえ ズブ濡れ だけど
ジャボン
ジャポン
大丈夫だ オレは 病気まともに したこと ねぇから！
フッ
超人だな
砂川は隣に住む 子供の頃からの友達だが かっこよくて漢なので 俺が過去に好きになった女子は 全員砂川を好きになった
砂川はオレに見る目が ないのだと言ったが まあそうだった

はあっ
オレは剛田猛男
高校1年生だ!
猛男!
こいつは砂川誠
オレの親友だ

キャアーー
子供が川に〜〜
流れが速いっ…
だっ
ひゅば
ザバザバザバ

俺物語!!
おれものがたり

こんにちは アルコです

(チョオ)尊敬する河原和音先生原作で作画させて
頂きました〜。わ〜〜い♫♪
なんか今見ると1話目の絵がリキんでて
アレ〜??なかんじですが、素敵なストーリーが
伝わるよう描いたつもり…。楽しかったですとても!!
何が楽しいってやはり猛男かくのが楽しいです。
猛男のカオ描いてると、自分も同じ顔してるので
アラフシギ〜
大和さんも砂川も良い人だし
猛男なんてもう彼氏だったら
絶対幸せだし、いや、猛男みたいな息子でもいい。
お父さんが猛男だったらサイコー!!! こんなキャラ産む
なんて河原先生男前すぎやろ〜〜〜〜✧✧
など思いつつ描いてました。
河原先生、猛男たちを託して下さりありがとうございます。
今回のコラボのお仕事ふって下さったTSGWR担当編集様
ありがとうございます。そして読んで下さった
みなさまありがとうございます。
2巻もでるよ!!お楽しみに!!
(私が楽しみ。)

かんしゃの舞。
アルコ

なぜ友達なのかと
よく聞かれたが

それは

家が隣だから
という理由だけじゃあ
なかったんだな

ずっと
男の友情だね！
……友情か…
昔から

あたたかい目で
砂川ぁ
オレを見て
いたんじゃ
ないだろうか
ずっと

誰でも 友達が
幸せになるのが
うれしーだろ
そんなの
フツーだろ
スゴくねーだろ
砂川は

泣ける〜〜〜
な!! すげぇ だろ 青鬼 いい奴だろ!!
うん いくら 友達のためでも そこまでできない と思う
だろ!!
青鬼優しすぎ!!
器でかすぎ!!
砂川すげぇ!!
……… しらねーけど べつに フツーじゃね?
だって 友達だったん だろ その 鬼ふたり

村人たちは
すっかり赤鬼を信用して
遊びに来るようになり
人間の友達ができて
毎日 たのしく暮らした

「ないた赤おに」浜田廣介作

でも ある日
あれ以来 見かけない
青鬼のことが気になって
会いに行くことにしたんだ

青鬼は
赤鬼への手紙を
残して旅に出て
しまっていたんだ…

手紙？

せっかく人間と
仲良くなれたのに
また自分と仲良くして
いては人間たちに
疑われるからって

黙って 赤鬼の
前から 姿を
消したのさ…

ある山の中に
心の優しい
赤鬼がたった1人で
住んでいたんだ
赤鬼は人間たちと
仲良くなりたかった
んだけど
人間たちは
怖がって
近寄らないんだよ
落ちこんでる赤鬼に
友達の青鬼が言うんだ
自分が
村で暴れるから
退治しろって
そうすれば
人間たちは
赤鬼のことを見直して
仲良くなってくれるんじゃ
ないかって
そして 青鬼は村へ行って
人間たちを傷つけないように
暴れた
赤鬼は そんな青鬼を
やっつけるフリをした
青鬼は
やっつけられた
フリをして
逃げてった

砂川ぁーー おまえは ほんとに 青鬼みてーな やつだな!!
………… なんだ それ
幼稚園の 劇だ!!
おまえが青鬼で オレが赤鬼で
おまえの 友情の演技に 母ちゃん全員 号泣しただろ!!
………… 覚えて ねぇよ…
なになに？ どんな話？
うん

あのね
私の友達で…
写メあるけど
幸せを分けてくれようとしなくていいから
ストップ
砂川！寂しいこと言うな！
そっかー
寂しくねーし
オレは
幸せなおまえを見てるほうがいいから
…このケーキなんか妖精とか入ってそうな…

私たち
しあわせです
ありがとう砂川くん
ありがとう
……
……どう
いたしまして

好きです!!
はじめて会った時からです!!!

!!
!?ええええっ?!!?
えっ
えっ
なんで!?
ひどいっ…
砂川くん
言わせた!?
……
好きです!
はじめて
会った時から
です!!

…あきらめ
たくない…
がんばる〰〰
たけおくん
みたいな人
もう会えないと
思うから
……まあ
なかなか
いないかもね
好きに
なっちゃってるから
もうすごく〰〰
はい
もう1回
？
好きだから〰〰
たけおくんが
好きだから〰〰
だれが？
ほら
おまえも
告れ

……
………砂川くん
私……
たけおくんの前で泣いちゃった
どうしようどうやってごまかそう
たけおくんすごい困ってたどうしよ〜〜
……なんで泣いたの？
なんかすごい砂川くんのことすすめてくるんだよね〜〜
砂川くんの話ふるし〜〜〜
遠まわしに断わられてんのかと思って
ちょっとつらくて…
あきらめる？
でどーする？

かくれろ!
どこに!?
ベッドの下?
……
………でかいな おまえ
こんばんは…
こんばんは
座れば

砂川おまえ男だな！
キンタマないとか言って悪かった！
まちがいなくついてる
あーついてるついてる
しかし大和がオレを好きだというのはやっぱり信じられん
………それは実際自分の耳で聞いてみないとむずかしいかもね
コンコン！
ちょっといい？
大和さんて人来たけど
!!!

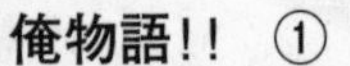

おまえの好きだった女子みんな
カゲでおまえの悪口いってたからな
剛田って あんたのこと スキっぽいよー
ヤダ キモーイ
あいつ カオでかくね?
うるさくて うざいしー!
ギャハハハ
おまえはほんっと見る目ねーよな

ガーン
そうなのか!?
………
友達の悪口いう女とつきあいたくなくね?
……誰でも

…………
オレを好き？
大和が　オレを？
だめだ　信じられん
おまえは　大和を　いい子だって　言ってたろ　好きじゃねぇのか!?
いい子じゃん
いっしょにいても　おまえを好きだって　話しかしないし
おまえ　今まで　女の　趣味悪かった　もんな

だってよ
オレの部屋からおまえが帰る時イヤそうだっただろ
〃えっ帰っちゃうの!?〃
2人きりだと緊張するから困ったんだろうな
おまえのほうばっかり見てただろ!
おまえがガン見すっから目合わせらんねんだろ
色々思い出せ
オレはおまえに人を見る目を養えと言いたい

………
そしたら私…
好きになって
いいかな…
なんかさぁ…
もう…ダメ…
昨日とか
かっこよすぎ
だよね……
あんなの
絶対 好きに
なっちゃうよね
おまえを
か？
…………
話きいてん
のか？

ケータイ届けるのに公園で会った時
おまえ 1回便所でいなくなっただろ
もう そん時オレ あの子から色々言われてたから
あの…
お友達…彼女いるのかな…
いるよね あんなにかっこいいんだもん!!
いない
…ほんと?
ほんと
うそ!? ほんとに!?
かくせるようなやつじゃない

大丈夫だ
おまえもかっこいいから
大和さんもおまえのことかっこいいって言ってたし
……もうめんどくさいから全部バラしていい？

おまえがかっこいいからだ!!
砂川(すな) おまえはかっこいい!!
……
どーも

じゃあなぜ大和は おまえの話をしたら
泣くんだ
泣く？
おまえを好きだからだろうがバカヤロォォォ
…バカはおまえだろ
おまえを好きだからだろ
とぼけるなおまえだ！
ちがうおまえだ
…おまえだって…
………なんでだよ…

なんだ今の
涙は
なんだ
おまえ大和に何かしたかーー!?
……何も?
高校数学

〜〜〜ごめんっ…
目にゴミが入って…
大量に入って…
いややっぱコンタクトずれて…
ごめん帰る
ごめんっ

好きだと思う人には
笑っていてほしいと
幸せになってほしいと
思っている

心配するな
オレは男だ!
告白して
つらい立場に
追いこんだりしない
ありがとうと
言ってくれた
いっしょに
鉄骨を押してくれた
ときどき
おいしい
ケーキが
食べられる
オレは
それで
満足だ
オレは所詮
赤鬼だから
青鬼のようには
やれないが

あ！
今度はお茶も持ってきた！
そうだ砂川は気がきくんだ！
こないだは砂川くんが買ってくれて気がきくなーって…
彼女もいない
大和のことをほめていた
大和
あいつは浮気とかもしない
心というのは
あいつはいいやつだ
思い通りにならないけれど
オレが保証する！

甘いと思って食べたらしょっぱいから!
甘いと思って食べないでねしょっぱいから!
2回言ったな
いただきます
うまいっ!
…なんかいつも
たけおくんはいっぱい食べてくれるんでうれしい…
…たけおくん…
……あの…
…あのっ…
…………

なんだ
気のせいか
今日はいじょーにかわいく見えるな
あの…
あの……
なんだ？
いつもケーキばっかりだとなにかなーと思って……
今日はケークサレにしてみました
………

えと
次会う時
砂川くんなしで
いい？
2人で…
会いたいんで
おう
いいぞ
ついに
恋の相談か

――大和さんの――
…今日のケーキ
あれ おいしかったな
………おいしかったか
うん
そうか！
そうか
たけおくん

…………
猛男
電柱にぶつかってるぞ
こんばんは
それ人じゃねえぞ
パーマ
死ぬぞさすがに
猛男はまってるぞ
ブタゴリラ
おっさん顔
おい猛男
ぼー
…

…なんか
いっつも助けてもらってるね私……
ありがとう…

ハア
ハア
ハア
ハア
ハア
ハア
たけおくん
血がっ
ああ
これくらい
まって！
あるかな
あると
思うんだよ
やった！
持ってた！
ペ
た！

気をつけてよ
これこいつじゃなかったら死んでるから
じつは
うちけっこー力あるしっ…

オレはここで
鉄骨に行ってしまうからダメなのか
王子様になれないのか

まぁいいだろう
それでもあの子は助かるんだから
いいんじゃねえか

ぶるるぶるぶるるぶるっ
……早ぐいげ……っ
まかせたわ
そうか

………たけおくん…

ぐらっ…
大和っ…
キャー

オレは おまえの味方だ!
砂川のメアドも教えてやれ!
ばしっ
え
なんで?ていうかいいの?
…べつにいいけど…
あ じゃあ…
いった?
うん
それじゃまた
大和!!
またな!!
声大きいよ

大丈夫だ
お似合いだぞ大和！
じゃあ
ごちそうさま
えーとあの
メールしたりしてもいいかな
ケーキの好み聞きたい時とか…
大丈夫だ
わかってるぞ大和！
いいぞ！

…また作ってきてもいいかなぁ…
コク！
あ
ありがとう
ありがとう！
お金これ
いいよいつもケーキつくってもらってるし
うちこういうのきっちりしないときもちわるいから
あそうじゃあもらっとくわ

あたりを1コ入れておいたの！
当たり！
あたり？
…うんあたり…
くりなの…
そうかあたりか
ガッ
ガッ
ガッ
あたりなだけなんだけど…
えへへ
………

遠足で浮かれて弁当をひっくり返したんだが…

砂川はゲラゲラ笑ったがその後

自分のを半分以上分けてくれた…

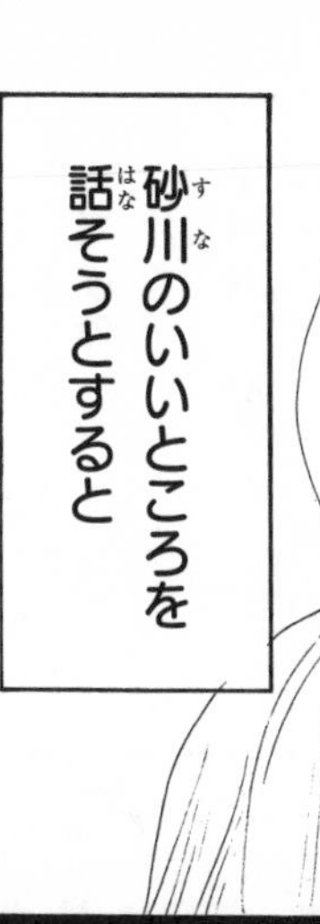

他に何か…協力というのはどうしたら…

……

ん？今チョコ以外の味がしたような…

あ！それあたり!!

青鬼役の砂川は子供らしからぬ名演技で
母ちゃん達号泣
ふ…
オレは若干アホ
わー
わー
アハハ赤オニのコ強そうねえ〜
わーわー
小学1年の時オレはトイレにギリギリに行くので
そうじの時間にもらしたんだが
しまったァ
砂川はゲラゲラ笑ったが
その後一緒にバケツの水をかぶってくれて
皆にはバレなかった

……砂川は かっこいいよな ………
そう 思うよな？
え うん
そうだろうな
うん うん
3歳の時から だからもう 10年以上の つきあいに なるが
あいつは 昔から いい男だった…
幼稚園の時 オレは劇で主役だった
赤おには たけおくんが いいでーす
さんせー
オォーし
やるぞ！
オレ赤おに やるー
「ないた赤鬼」 って話で

こんなにうまいチョコレートケーキ食ったことない
…よくそんなに食えるな
太るぞ
運動するからかまわん
ガツガツガツガツ
…食って動いたらそれ力士だろ
力士か…
テレるぜ
オレなんか飲むもの買ってくるわ
あ! ごめん気がきかなくて
何がいい? ついでに買ってくるけど
……
さすが砂川…さりげない…
私もいっしょに…
いい いい

ずん ずん
なんでオレも？
ずん
何も聞くな
おまえはおまえのままでいい……
…何の話してんの
オレに
まかしとけ!!
あ
こんにちは
こんにちは
うまい!!

うれしー
ありがと
たけおくんて
呼んでいい
ピコピコしている!!!!
ではオレも
大和と呼ばせて
もらう
送信！
……
…だから

件名：こんにちは

大和です
ザッハトルテ
やきました
明日わたしに
行ってもいい??
なんだこのメールは
なんかカラフルだぞ
いつでも
ポチポチ
いい
ポチポチ
送信
……
ぶぶぶぶぶぶ

じゃあなんで女子に興味ないんだ
興味ないなんて言ってねーだろ
興味あるんだな!?
まあふつうに
よォオしわかった!!
おまえ女子がだるいのなら今後モテそうな行動をつつしめ!!
いいな!!
ぱアン!
返事は!?
……………
ハーイ
「ハイ」だ!
……ハイー
ハイィじゃねえ

……なんだろ……
だるい
つきあって何すんのか考えると だるい
考えたら楽しいの間違いだろうが!!
……おまえキンタマついてんのか?
……ついてるよ……

いけそーなやつなら誰でもいんだよな
ニコニコしてて愛想いーのが好きなんだよなかわいい感じの
……
そうかもしれない
砂川
おまえは彼女いるのか？
いねーよ
なんだよ今日は…
なんでだ!?おまえモテるだろ!!
女子とつきあったりしたいと思わないのか!?

じゃあ歌のお姉さんと体操のお姉さんならどっちだ!?
え…体操かな
まいんちゃんとスイちゃんならどっちだ!?
…誰それ?
体操のお姉さんか…
大和さんはどっちだ!?
なんでそういうまとめ方?
おまえわかりにくいんだよ!
…おまえは
わかりやすいよなタイプ

勉強してんのか テスト前でもないのに！
ドカッ
猛男…勉強っていうのは 毎日するもんなんだよ
なに…そのカッコ…
風呂あがりだ！
砂川 突然だが おまえはどういう女性が好きなんだ？
……本当に突然だな…
AKBなら誰推しだ？
ごめん オレ芸能人わかんねぇ…
じゃあ セイラさんとフラウ・ボゥならどっちだ!?
……アニメ？

砂川とは全く女子の話をしないので
知り合って10年以上になるが
じっ
じっ
ふあ～
女子の好みが全くわからない
ガチャ！
砂川入るぞ！

そんなに好きなんだな!?
ようし決めた
オレが応援してやるからな
協力してやるから
おまえって手ぬぐいなのなー
心配すんな!!
母ちゃんの趣味だ!
しかし

返さなくていいから
メアドだ！
赤外線つかえよ…
ビリッ
カキ
カキ
カキ
ありがとう！

超走って
こんなに汗だくで
ずいっ
え
汗!?
ひどい!?
大丈夫!かわくし!
はずかしいっ
つかえ!

はー
はー
よかっ……
はー
間に合っ…
はー
はー
はー
メ…っ
…なんだ!?
どうした!?
…メ…
はー
メ……
はー
メアド…
はー…
メアド聞いてない…
連絡できないと
思ってっ……
メアド……
教えてっ…
必死で

あの子
いい子っぽいな
…砂川が
女をホメるのを初めて聞いた
これは………!!
たたたたたたたたたた

うちの得意な順でいったら次はザッハトルテなんだけど
どうかな？好きかな？
ああザッハルテルトなら大好きだ
…おまえ思いっきり知ったかぶりしたな
じゃあ次はザッハトルテで！
またね～
オレにできることならばいくらでも
あの子
お菓子作る時ハンドミキサー使わねんだって
へぇ
苦労してかたまっていくかんじが好きなんだって
そうなのか変わってるな

大和さんが失恋して泣いたら
かわいそうだな
できるものなら協力してやりたい
オレは
またケーキが食べたいんだけれども
つくってきてもらえないだろうか
イキナリだなおまえ…
いいの!?
コクリ

あたま
びちゃびちゃじゃ
ないですかっ
タオル
ありますっっ
……
………
ていうか自分で
ふけよ おまえ
この子が……

なぜ
人の心というものは
自分の心でさえ
思い通りにならないのか
ザー
修業が足りないのか
好きになっても仕方ない
困らせるだけだ
いかんと思うのに

なぜいつも赤くなって
汗とばしているのか
恋か？
そんなに砂川が好きか!?
………見すぎだよ あと距離感まちがってる
便所だ!!
はいぃっ
………

じつは
お菓子得意で
「お菓子
得意で」
うん！
お菓子
つくるのに
体力いるって
ほんと？
うん！
めちゃ
かきまぜるよ
「めちゃ
かきまぜるよ」
うん！
なぜ

…よかったー じつは私が焼いたんだ

こないだのも

!!

あっ
すいません
わざわざ！
ありがと
ございました
ペコ
ペコ
もう けーごは
いいから
たぶん
タメ
ですよね
高1…
おまえが
けーごなん
だけどね…
あの
これっ
今回のお礼
なんだけどっ
わざわざ
届けてもらって
そのお礼
なんだけどっ
よかったら
そのへん座って
食べませんかっ

ばーん
終了しなかった
…何そのケータイ
昨日の子が忘れてった
あの子大和さん…
ふーん
砂川もいっしょに来ると思ってんだろーな
2回ともいっしょにいたし
大丈夫連れてってやるぞ!!
今から届けに行くんだ!行くぞ!
……なんでオレも?
いーから来いっ
それが男というものだ!!

なんだこの
ピンクのケータイは
もしもし？
砂川？
あっ…
あ
やっぱり！
すいません
私ケータイ
忘れてっ……
私って あの
さっきの大和
なんですけどっ
あ――
うちにあるっス
ごめん
なさい!!
あの取りに
行くんで……
ヒマな日
ありますか？
や 場所指定
してくれれば
持って行きます
え
じゃあ
待ち合わせとか
どーですか？
私
小泉女学園
なんで
志須田公園の
噴水前で
どうですか!?

助けた子が
いい子だったと
いうことで
オレは
明日も強く
生きられる
終了だ！
公衆電話
……

なんだ これは おいしいぞ なんていう ケーキだ!?
ばく ばく ばく
…チーズケーキ 食ったこと ないのか おまえ
ない!! 言われて みれば チーズ味だ!!
なんだ それ
じゃあ
オレ 本格的に 帰るわ
ごちそうさま
あっ 私もそろそろ 帰る!
ね!
助けたのは オレなんだがな
ほんとに ありがとう ございました
その後 あばれた しな……
それじゃ…
まあ ケーキ もらったし
おいしかったし
いいだろう

…………
もしかして キライ ですか…？
あっ てゆうか 突然来て キモイですか 私っ
すいませんっっ 駅員さんに 昨日きいてっ
いや 大好きだ!!
よかったです

帰っちゃうの!?
あ
なんだ…
またか…
そりゃそーだよな
あ
えっとこれ
お礼持ってきたんで…
人数多いほうがいいかなって

……
好きだ
オレ帰るわ
えっ

ペコ
きのうは
ありがとうございました…

だれ
大和って
?
誰だかな?
中学ん時とかいたっけ?
てゆうか おまえ
この部屋に女子
入れんの?
!!!
ちょっと
待ってもらって
くれ
あの…
もういるけど…

……
……
砂川笑いすぎ!
まさか飛び出していくとは
そうなるかと少し思ってたけど
じゃあ言うな
そのあとおまわりさんの前で殴ったのは想定外
ピンポーン
だってあの男ハラたつしよ
まあね…
はあい
アラまあ
ちょーっとまってね
ペタ
ペタ!
ペタ
ペタ

停学になった
ヒマだ…
ボリ
バリ
ボリ
ボリ
バリ
コンコン！
開いてるけど いちおー
猛男 これ授業のノート
どうせ勉強しないだろうけど…
……フ

バカなこと言うな
この男のクズ!!!
ぶる ぶる
あ

……さわられました！
この人が助けてくれたんです！
はあ――？そんな短いスカートはいててよく言うな
ほんとは さわってほしかったんだろ…
ガツッ

どこに
つきだすんだ
こういうの
駅員さんに
渡せばいいのか
オレらで
やっとくから
私も
行きます！
駅員室
ちかん？
やって
ねーよ
往生際
わるいな
知ら
ねーよっ

あ
ありがとう……
「あ」
「ありがとう」

あの男　あれ　あやしくね？
なんか　やってね？
次の駅で　降りろっ

ゴゴン
ゴゴン
ゴトトン
ガタタン
おお!
さりげねぇ!
やるな!
さすがだぜ!
ありがとう…
しゅたッ!!
素通り
カッ
カッ
どうもオレは
砂川みたいに
決まらんな…
……
──なぁ

……
昨日通報されてよー
プ
女子よ
笑ったらこんなカオだ
笑いすぎじゃね?
あ ごめん
べつにいいけど

キーーーン
コーー
カーーン
コーー
県立志須田小学校
ジロッ
!?
ジロッ
君…
校門のところにこわい人が立ってるって通報があったんだけど…

そして現在にいたる
ということだな。
なあ
最近このへんで不審者でたらしいぞ
何!?
マジでか!? 子供狙いか!?
許せんな!
………
志須田小学校

なぜ 砂川と友達なのかとよく聞かれるが
同じマンションで隣どうしで
こんにちは おじゃまします－
入ってください 散らかってるけど～～
母さんどうしが仲良くて
よくいっしょに遊んだのだ
イエッフ――
男なら戦いだー
バトルバトル!!
何で戦う ライダーか ポケモンか カードかっ
イエイ イエイ!
……
母さんたちが気が合うからって子供もそうとは限らない
アチョー
ホアチャー
温度差きつ～…
Wiiで
が
くっそー なんで
オレばっかり負ける!?
下手だから
ケンカするほどでもなかった
くやしい
オレばっかり負けてオレくやしい
くっそー

幼稚園の卒園式で
オレが好きだった
ゆずはちゃんを
砂川くんが好き♡
オレ
おまえ
きらい
の一言で
泣かした
女を
泣かすなー
若かった
オレ
ごめん
ほら
あやまったぞ
いいの♡
あやまってくれた♡
キュン♡
小学校の時
好きだった
みさきちゃんも
すきじゃない
好き♡
かよみ
ちゃんも
やだ
えりは
ちゃんも
ダメ
まお
ちゃんも
キライ
みんな砂川を
好きになる

高校の入学式っていつだっけ
4月7日じゃね？
いや6日？そのへん
……
テキトーだな
砂川は
女子に大人気だ
砂川くんてクールだよね
笑ったカオ見たことなーい
見てみたいよね～
きっと好きな人にしか笑顔見せないんだよ——
かっこいい～～～

オレは
あんたのこと全然好きじゃない
あ猛男帰んの?
…あああ
おう帰るか
帰ろ帰ろ

ずっと委員会で一緒だった
笑顔のやさしい佐藤さんに
好きだったことを伝えてから
卒業したい…！
〝剛田くん〟
佐藤さん
——あのね
私
前から砂川くんのことが好きだったの

第50回 集英中学校
卒業式
猛男！
高校別々なんて寂しいぜー
おまえと同じ高校行きたかったぜ——
そうか
そうか
でんわとかしろよおまえー
会いにいくし
おう
猛男先輩！
たまには部活に顔出して下さい
これ部員からです
おう ありがとう
今年は全国行けよ！
先輩っ…
せんぱ〜い
たけお
先輩
猛男先輩っ
猛男っ
猛男どこ行くんだ——
だっ
ちょっとな！

アルコさんありがとうございました!! とつぜんお邪魔します 原作かかせて頂きました
河原和音といいます。 ちょっと内容にふれてしまうかもしれないので、まずは本編を
読んでから、このページを読んで頂けるとうれしいです。 では うらばなしをしたいと
思います。
「アルコさんの描く男の人かっこいいですよね 好きなんですよ タイプなんです。」って雑談で
担当さんに言ってたら、「じゃあ原作かいてみます？」と言われたので、「え、アルコさんが
いいなら」「アルコさんOKです」という流れで 原作描かせて頂きました。
ほんとうにありがとうございます アルコさん。
それで、じゃあもう私の好きな アルコさんのかっこいい男を描いてもらおうと思って
「イケメン」くらいの指定で アルコさんが 描いてくれたのが 砂川です。ものすごいかっこいいです。
ありがとうございます。あと、アルコさんにしか
描けない 少女まんがのワクにとらわれない
人物も前から すごいな〜と思っていたので
じゃあそういう人で、男にモテるタイプの男子を…
と思って 「ごうだ！とか たけお！とか いう
かんじの…」くらいの指定で アルコさんが
描いてくれたのが たけおです。
最初にFAXで キャラクターのデザイン頂いた
ときには吹きだしました。編集部でも笑われて
いたそうです。アルコさん ほんとうに
ありがとうございました!!
河原でした

アルコさんと
お仕事できて
うれしかった
です〜〜
なんか….
手紙…？
すいません。

あと
雑誌に載った時に
扉に担当さんが
『時代はブサメン』って
あおり入れてくれたん
ですけど…え!?
ひどいですよね!!
私 ブサイクなんて
かいてないのに
アルコさんもかいてないのに
ブサイクと思って
ないのに!!
アルコさんのたけお
かっこいいじゃないの!!

俺

アルコ 作画 × 原作 河原和音

こんな
オレ達がなぜ
友達なのか
けっこう
謎だ
♥俺物語!!

俺物語!!（おれものがたり） ①

作画（さくが）/アルコ　原作（げんさく）/河原和音（かわはらかずね）